Jules Beaulac

Prières

pour un temps de maladie

NOVALIS

Prières pour un temps de maladie est un livre de Jules Beaulac publié par NOVALIS, sous la responsabilité de l'Université Saint-Paul.

Conception de la couverture: Catherine Sapon
Photo de la couverture: Jules Beaulac
Photographies des pages intérieures: p. 7: Mia et Klaus; p. 59: Mary Kibblewhite; p. 77: Henry McMurray; p. 99: Renaud Thomas; p. 117: Gilles Lafrance; p. 133: Mia et Klaus; p. 141: Renaud Thomas.
Mise en page: Les éditions Multi

Dépôts légaux: 1er trimestre de 1996.
Bibliothèque nationale du Canada
Bibliothèque nationale du Québec.
Réimpression 1996

ISBN: 2-89088-748-0

© Novalis, Université Saint-Paul, 1996.

NOVALIS

Introduction

Jésus n'aimait pas la maladie. Mais il aimait les malades. Il faisait tout pour soulager leurs souffrances. Souvent, il les libérait de leurs infirmités et de leurs douleurs. Il les guérissait même.

Jésus était sensible à la souffrance des gens. Il compatit à la douleur de la veuve de Naïm qui conduit son fils unique en terre (Luc 7, 11-17). Il remet sur ses deux jambes ce paralytique que des proches, sans doute affligés de sa maladie, lui avaient amené en le faisant passer par le toit de la maison (Luc 5, 17-26). Il redonne la santé à cette femme affligée de pertes chroniques de sang (Matthieu 9, 20-22).

Jésus aimait les malades au point de s'identifier à eux: «J'étais malade, vous êtes venu me visiter» (Matthieu 25, 36). Il les aimait au point de leur déclarer qu'ils pouvaient porter du fruit autant que n'importe quelle personne en santé, à la condition d'être rattachés à lui comme la branche est rattachée au tronc de l'arbre: «Je suis la vigne, vous êtes les rameaux; la personne qui demeure unie à moi et à qui je suis uni porte beaucoup de fruit» (Jean 15, 5).

Jésus aimait les malades au point d'apprendre à ses disciples à s'occuper d'eux. Il les envoie visiter les malades, leur apporter le réconfort de leur présence et de leur compassion, partager avec eux la Parole de Dieu et les guérir: «Les disciples partirent; ils passaient dans tous les villages en annonçant la Bonne Nouvelle et en guérissant partout les malades» (Luc 9, 6).

Jésus a lui-même connu la souffrance, il a été familier de la douleur, la sienne et celle des autres, il l'a endurée jusque sur la croix. C'est sans doute pour cela qu'il a été si sensible aux souffrants. Il a voulu montrer dès ici-bas, par ses miracles et surtout par sa victoire sur la mort, que dans le Royaume de son Père toute misère et toute douleur seraient abolies pour toujours.

Quand Jésus quitta ce monde pour rejoindre son Père, ses disciples continuèrent son œuvre de miséricorde: ils guérissaient les malades, ils libéraient les gens de leurs maux y compris de leur péché, ils les soulageaient de toutes sortes de misères. C'est ainsi que l'on voit Pierre remettre sur ses deux pieds un infirme de naissance (Actes 3, 1-10). Et Jacques enseigner aux «anciens» des communautés chrétiennes à faire des onctions d'huile sur les malades pour leur manifester la grande bonté du Seigneur, les mettre debout au cœur de leur épreuve et leur donner le pardon de leurs fautes (Jacques 5, 13-15).

* * *

Nous passons tous par la souffrance, par la maladie, un jour ou l'autre de notre vie. Nous rencontrons, dans nos familles, parmi nos amis et nos connaissances, des personnes malades. Elles ont besoin de notre présence, de notre parole, de notre compassion, de notre affection, de notre foi et de notre espérance. Nous aussi, nous avons besoin des leçons de vie qu'elles nous apportent.

* * *

Voici un livre destiné aux personnes malades, mais aussi à celles qui les fréquentent de près ou de loin, directement ou indirectement.

Il a été écrit avec l'encre de l'Évangile: dans l'amour des malades et des personnes qui leur viennent en aide, dans la confiance au Seigneur Jésus qui n'abandonne jamais les gens qui tendent leurs mains vers lui.

Il a été rédigé également avec réalisme. Il n'est jamais facile de souffrir. La maladie est une brisure qui remet en question bien des choses dans une vie et dans la vie des proches. En ce sens, elle se révèle souvent une grande éducatrice. Il peut être profitable de regarder les situations de maladie avec le plus d'humanité possible et de les éclairer de la lumière de la foi, la force de l'espérance et la chaleur de la charité.

Puisse ce livre aider les malades à aller plus loin sur la route de leur vie! Puisse-t-il également apporter du réconfort et de la lumière à toutes les personnes qui les aiment et les aident!

Et que la paix du Seigneur nous habite tous de plus en plus!

Jules, ptre

Le Seigneur a pris sur lui
nos infirmités,
il s'est chargé
de nos maladies.
Matthieu 8, 17

Prières de malades

J'ai besoin de toi

Ne crains pas!
Apocalypse 1, 17

Il est bon de redire à Dieu sa confiance
en tout et en tout temps.

Ô Dieu,
garde-moi près de toi.
Ne me quitte pas.
J'ai besoin de toi,
aux jours de soleil et de joie,
mais surtout
aux nuits de ténèbres et de souffrance.

Je m'appuie sur toi.
Tiens ma main.
Rassure-moi.
Guide-moi.
Je suis si faible sans toi.

Amen.

Je veux remercier le Seigneur

Je te loue
de tout mon cœur,
Seigneur mon Dieu.
Psaume 86, 12

Parfois le cœur est à la louange, il a envie de chanter.
Même au milieu de grandes souffrances,
même au cœur de ses faiblesses,
même crispé d'inquiétude.
C'est la confiance dans le Seigneur qui prédomine.
Sa capacité de nous relever dépasse de beaucoup
nos difficultés à nous tenir debout;
sa capacité de nous donner la vie jusqu'en éternité
ne cesse de nous étonner.
Et alors, en toute confiance,
le cœur se met à bénir, à remercier...

Bénis le Seigneur,
ô mon âme.
Du fond de ton cœur,
bénis-le.
Et n'oublie aucun de ses bienfaits.

C'est lui qui te pardonne toutes tes fautes,
qui te guérit de toutes tes maladies.
C'est lui qui arrache ta vie au tombeau,
qui te comble d'amour et de tendresse.
C'est lui qui illumine tes vieux jours de joie

et qui te donne une nouvelle jeunesse
comme l'aigle...

Le Seigneur est la tendresse
et la bonté en personne.
Il est patient, il déborde d'amour.
Il n'est pas toujours là à nous épier
pour nous faire des reproches...
Pour les personnes qui lui font confiance,
sa bonté est plus grande
que la distance entre le ciel et la terre.
Et l'espace qu'il met entre nous et nos fautes
est plus large que celui qui sépare l'est de l'ouest.

Il ne nous traite pas selon nos fautes,
il ne nous fait pas payer le prix de nos offenses...
Le Seigneur est aussi tendre
pour les personnes qui l'aiment
qu'un père l'est pour ses enfants.
Il sait bien de quoi nous sommes faits:
il n'oublie pas que nous ne sommes que poussière.

L'amour du Seigneur dure
depuis toujours et pour toujours...

Remercie le Seigneur,
oui, remercie-le!

Inspiré du psaume 103.

Supporter la maladie

Soulage l'angoisse
de mon cœur.
Psaume 25, 17

Apprendre à être malade est un art.
La maladie amène souvent avec elle
bien plus que la souffrance physique,
elle draine de l'agressivité, de l'impatience,
du mécontentement de soi et des autres...
du ressentiment même...

Seigneur,
ma maladie a développé mon agressivité.
J'ai des sautes d'humeur fréquentes
et je manque souvent de patience.
Des fois même,
je dis des bêtises à mes meilleurs amis,
j'en fais aussi à l'occasion...
bêtises qui m'étonnent moi-même
et que je regrette aussitôt, bien sûr.
Pire encore,
je me surprends
à accuser les autres de ma maladie;
je leur fais de la peine pour rien.
Mais c'est fait, malheureusement.
Que veux-tu?
Quand on a du mal à se supporter,
comment peut-on supporter les autres?

Donne-moi assez de modestie
pour m'excuser chaque fois qu'il le faut.
Et donne aux personnes que je blesse
assez d'amour pour me comprendre quand même
et surtout pour ne pas m'abandonner.
J'en ai tant besoin.

Amen.

Inquiétude

Tourne ton regard vers moi
et prends pitié de moi.
Psaume 86, 16

Des signes avant-coureurs de maladie
apparaissent dans le paysage de notre vie.
On se lève avec une douleur...
On se couche avec un point...
Les questions apparaissent elles aussi...
et, avec elles, l'inquiétude...

Seigneur,
j'ai le cœur inquiet
depuis quelque temps.

Je dors mal.
Je sais pourquoi:
j'ai un point dans le dos
qui ne me quitte pas,
surtout la nuit.

Au début,
je me disais: «Ça va passer!»
Mais, avec le temps,
je m'aperçois qu'il est toujours là.

L'inquiétude me serre le cœur.
Il faudrait que je voie le médecin.

Mais, tu sais,
on n'est jamais pressé
d'aller voir les docteurs.
Surtout quand on redoute
une mauvaise nouvelle.
Alors j'attends,
je remets cela au lendemain,
et j'espère.

Je te confie mon problème.
Aide-moi à découvrir
ce que je dois faire.
Et donne-moi le courage de le faire.

Amen.

Maladie chronique

Pourquoi ma douleur
ne s'arrête-t-elle jamais?
Pourquoi ma blessure
ne se soigne-t-elle plus?
Jérémie 15, 18

Apprendre que la maladie dont nous souffrons est là
pour demeurer jusqu'à la fin de nos jours,
cela n'est pas toujours facile à vivre...

Seigneur,
je le sais maintenant,
la maladie s'est installée en moi
pour y rester.
Elle va me suivre
jusqu'à la fin de mes jours,
comme une compagne
fidèle et obstinée.

Moi qui me pensais solide
comme un pont,
qui me vantais
de ma bonne santé,
j'ai dû me soumettre à une batterie de tests
et me rendre à l'évidence:
je suis malade chronique.
Cela me fait mal,
surtout à ma fierté personnelle.

Je ne contrôle plus ma vie:
elle me glisse entre les doigts
comme l'eau de la mer
et tout ce qui me reste sur les mains
c'est le sable de l'ennui et de la tristesse
et, à certains jours,
le limon de l'amertume et de la déception.
C'est dur à prendre.

Apprends-moi à vivre
avec ma maladie.
Que j'y découvre petit à petit
de nouvelles raisons d'avancer dans l'existence;
que j'y puise même
de nouvelles énergies;
que je comprenne mieux
les personnes qui, comme moi,
sont devenues «chroniques».
Ce que je perds en productivité,
que je le gagne en fécondité,
en vivant avec toi à chaque instant.

Amen.

Le Seigneur est ma lumière

Le Seigneur est pour moi
un rocher, un abri...
Psaume 18, 3

Au milieu des difficultés,
nous avons besoin d'affirmer une fois de plus
notre confiance dans le Seigneur:
il nous accompagne en tout
et nous réserve ce qu'il a de mieux.

Le Seigneur est ma lumière et mon salut,
de qui aurais-je peur?
Le Seigneur est le gardien de ma vie,
de quoi aurais-je crainte?

J'ai demandé une chose au Seigneur,
la seule que je désire vraiment:
c'est d'habiter chez lui
tous les jours de ma vie,
pour savourer son amitié...

Oui, le Seigneur m'accueille sous son toit
quand j'en arrache;
il me cache au plus secret de sa maison,
il m'élève sur un rocher, loin de tous...

Écoute-moi, Seigneur,
quand je t'appelle.
Réponds-moi,
s'il te plaît!

Inspiré du psaume 27.

Surmenage

Cela ne te sert à rien de te lever tôt
et de te coucher tard...
Psaume 127, 2

Quand la machine se met à grincer
et qu'elle donne des signes évidents d'essoufflement...
Quand on entrevoit les conséquences de ce dérangement,
il fait bon s'en remettre au Seigneur.

Seigneur,
le docteur vient de me mettre au repos.
Je fais du surmenage
et, si je continue ainsi,
je m'achemine tout droit
vers une belle dépression
ou un *burn-out* majeur.

Depuis quelque temps,
mon corps m'envoyait des signaux
que je n'écoutais pas trop,
jusqu'au jour où il s'est mis à me crier
de le ménager un peu:
insomnies, hypertension,
brûlements d'estomac...
Sans compter une hausse remarquée
de mes impatiences et de mes bêtises
et une difficulté grandissante
à faire mon travail.
Le problème est simple:
je me crois indispensable.

Je ne le dis pas,
mais je le pense parfois:
personne d'autre que moi
ne peut faire mon boulot.
Alors, je cours du matin au soir
et souvent du soir au matin.
Et depuis trop longtemps.

Me voilà à ne rien faire
ou presque.
Me voilà surtout à réfléchir:
comment aimer les autres
si je ne m'aime pas un peu?
Et comment t'aimer
si je n'aime pas les autres?
Me voilà à te chercher
au milieu de mon combat.

Apprends-moi
à garder de la générosité dans ma vie,
mais d'une façon modérée.
Apprends-moi
à rester disponible,
mais d'une manière durable.
Apprends-moi
à servir les autres,
mais en gardant la forme le plus possible.
Apprends-moi surtout
à me croire utile, mais non nécessaire.

Toi seul es indispensable!

Amen.

Que je vive en ton amour

Montre-moi le chemin
que je dois prendre.
Psaume 143, 8

Parfois, notre cœur a simplement besoin
de s'abandonner en toute confiance
au Seigneur qui s'occupe de nous.

Seigneur,
apprends-moi à faire
ce que tu attends de moi.
Car c'est toi mon Dieu.

Que ton Esprit bienfaisant
me conduise
sur une terre de paix.

Tu es mon Seigneur:
fais-moi vivre en ton amour.

Inspiré du psaume 143.

Pourquoi?

Pourquoi restes-tu si loin?
Pourquoi te caches-tu
aux jours de détresse?
Psaume 10, 1

La maladie est presque tout le temps
une grande «dérangeuse»:
elle déstabilise la personne malade
et souvent aussi celles qui vivent avec elle.
C'est la maman, si nécessaire à sa famille,
qui devient, pour des mois,
incapable de faire quoi que ce soit.
C'est le papa, indispensable aux siens,
qui se blesse au travail,
devient maussade et, surtout, se sent inutile.
C'est l'enseignante, aimée de ses élèves,
excellente éducatrice,
qui ne pourra plus retourner à l'école
à cause d'une maladie grave.
C'est le jeune pasteur,
prometteur et plein d'esprit d'initiative,
que la maladie cloue au lit pour des mois,
et qui, il le sait,
lui enlèvera des forces et diminuera ses capacités
pour le reste de sa vie.
C'est...

Seigneur,
je suis malade
et je souffre beaucoup.
Des fois,
je me décourage
et je me pose des questions...
Il m'arrive même de t'en poser:
«Pourquoi? Pourquoi cette maladie?
Pourquoi moi? Pourquoi maintenant?»
Je me surprends à crier, à te crier:
«Je ne suis pas capable d'en endurer davantage!»
J'ai besoin de toi
pour endurer ma maladie
et surtout pour lui trouver un sens.
Comment ta croix peut-elle aider la mienne?
Je cherche...
On dit que tu es un père
qui aime tous ses enfants,
encore plus quand ils souffrent.
J'ai besoin de toi
pour approfondir cela.

J'ai besoin de toi
pour trouver de l'espérance
au cœur de ce que je vis
et qui, forcément, a des répercussions
sur les miens,
sur les personnes que j'aime
et qui m'aiment.
Accorde-moi la guérison,
si tu le juges à propos.

Rien ne t'est impossible,
c'est toi qui l'as dit.

Mais, par-dessus tout,
que ton amour me soutienne,
que ta parole m'éclaire,
que ton chemin soit aussi le mien.

Ne m'abandonne pas.
Garde-moi près de toi,
dans ta paix et dans ton amour.

Amen.

Porter du fruit

Quiconque demeure en moi
et moi en lui
produit beaucoup de fruit.
Jean 15, 5

Le Seigneur ne nous demande pas d'être productifs
quand nous ne sommes pas capables de l'être.
Mais il affirme que nous pouvons toujours être féconds,
c'est-à-dire capables de porter du fruit,
que nous soyons efficaces ou non.
Il nous indique le chemin pour y arriver:
être greffés à lui,
comme la branche est rattachée au tronc de l'arbre.

Seigneur Jésus,
aux yeux de bien des gens,
je ne sers plus à rien:
je ne donne plus aucun rendement.
Je suis malade,
invalide, inefficace.
Et pourtant,
j'ai compris avec le temps
qu'à tes yeux je suis encore utile:
je peux porter du fruit,
beaucoup de fruit.
Il suffit que je vive
en union étroite avec toi,

comme la branche vit
constamment greffée au tronc de l'arbre.
Cela, tu l'as enseigné à tes disciples.

Que je ne te quitte jamais.
Que je demeure toujours dans la certitude
qu'avec toi
j'aide le monde à grandir
dans la paix, la justice et la joie.

Amen.

La croix

Avec le Christ,
je suis cloué à la croix.
Et, si je vis,
ce n'est plus moi qui vis,
c'est le Christ qui vit en moi.
Galates 2, 19-20

Tôt ou tard, la croix se profile dans nos vies.
Souvent, elle prend le visage de la maladie.
Toujours, elle nous interroge.
Peut-être y a-t-il des jalons de réponse à nos questions
dans la croix du Christ!

Au nom du Père
et du Fils
et du Saint Esprit.
Amen.

Ô Dieu,
c'est par le signe de la croix
que je commence ma prière.
Car la croix est désormais
bien plantée dans ma vie.
Je suis malade.
J'ai du mal à l'accepter
et encore plus à le comprendre.
Il n'y a pas si longtemps encore,
je travaillais comme tout le monde.

Si encore il n'y avait que moi...
Mais il y a des personnes
qui comptent sur moi pour vivre...
et qui sont aussi désemparées que moi
depuis ma maladie.
Nous voilà tous sur la croix... comme toi.

Aide-nous à lire ton écriture droite
sur les lignes courbes de nos vies.
Nous en avons tous bien besoin.

Amen.

Je crie vers toi

J'ai crié
jusqu'au matin.
Isaïe 38, 13

Parfois, la douleur est si forte et le mal si puissant
que seul un cri peut s'échapper de notre cœur.
Parfois même, c'est le sentiment de notre péché
qui nous écrase et nous fait crier.
Il ne faut pas craindre de lancer
nos cris vers le Seigneur.
Il est là
pour nous écouter, pour compatir à notre état,
pour nous consoler, pour nous pardonner,
toujours pour nous donner de l'espérance.

Du fond de ma douleur,
je crie vers toi, Seigneur.
Écoute mon appel!
Que ton oreille soit attentive
à ma prière!

Si tu n'oublies pas les fautes, Seigneur,
qui donc pourra survivre?
Mais je sais que tu pardonnes sans cesse.
Je te respecte et je t'aime.
Je compte sur toi, Seigneur,
de toute mon âme, je t'espère.
J'ai foi en ta parole.
J'ai confiance en toi...

Inspiré du psaume 130.

J'ai du mal à vivre

Pourquoi donner la lumière
à un malheureux,
pourquoi donner la vie
à un cœur amer?
Job 3, 20

Certains jours, la vie est si lourde à vivre,
elle a perdu son bon goût.
Et nous sommes si distants de nous-mêmes...
Le Seigneur est toujours là pour nous écouter...

Seigneur Jésus,
j'ai du mal à vivre:
je n'accepte pas ce qui m'arrive.

La vie est dure à vivre:
parfois, c'est elle qui nous blesse,
parfois, c'est nous qui la frappons.
Mais le résultat est le même:
ça fait mal!

J'ai une boule dans l'estomac
rien qu'à y penser.
Des fois, je n'ai plus le goût de vivre:
je me décourage, je me dégoûte, je me désole.
Le bonheur, je te le dis,
s'est éloigné de moi.
À quoi bon continuer à vivre?

Je veux aujourd'hui te confier ma douleur.
Prends-la avec toi.
À deux, elle se portera mieux,
j'en ai la certitude.
Je sais que tu m'aimes
comme je suis.
Si tu savais
comme ton amour me fait du bien!
Redonne-moi le goût de vivre!

Merci bien!

Change mon cœur

Père,
que cette coupe
s'éloigne de moi!
Matthieu 26, 39

Parfois, nous pouvons changer le cours des événements
et améliorer notre situation.
Alors, il faut le faire, bien sûr.
Mais parfois nous atteignons un point de non-retour...
C'est notre cœur alors qu'il faut changer
au centre de l'événement.
Le Seigneur peut nous y aider...

Seigneur Jésus,
dans ce jardin de Gethsémani,
tu as crié ta souffrance,
tu as sué des gouttes de sang...
Tu as prié jusqu'à l'épuisement
et tu as résisté tant que tu as pu...

Et puis, petit à petit,
tu as fini par accepter ce qui t'arrivait,
puisque tu ne pouvais pas le changer.
C'est ton cœur
que tu as finalement changé
au milieu de ton épreuve.
Ce ne fut pas facile.
Ton Père t'a donné un bon coup de main.

Regarde ce qui m'arrive:
cette maladie aussi imprévue que grave.
Depuis des jours,
je te pose des questions.
Je résiste moi aussi.
Je prie, je soupire,
je crie, je transpire...
Je me débats tant que je peux.
Et les médecins et ma famille
font de même... avec moi.

Ne me laisse pas.
Viens m'aider.
Et, s'il n'est pas possible
de changer ce qui m'arrive,
change mon cœur.

Et merci... encore une fois!

Solitude

Quitte ta robe de tristesse
et revêts pour toujours
la belle parure de la gloire de Dieu.
Baruch 5, 1

Quand la maladie se prolonge,
la visite se fait parfois plus rare.
On se retrouve seul.
On se met à réfléchir.
On se met à prier.
On se met à espérer...

Seigneur,
la maladie me cloue au lit
depuis des mois.

Au début,
les gens venaient me visiter.
On avait de quoi parler.
Mais, petit à petit, ils sont tous partis.
Ils sont très occupés.
Et puis, on s'est tout dit,
ils s'ennuient quand ils viennent.
Je ne sais même pas
s'ils vont venir à Noël...

Toi, Seigneur Jésus,
reste près de moi.

Je sais que tu n'abandonnes pas les gens,
surtout quand ils sont seuls
et qu'ils trouvent le temps long.
Garde-moi de l'espérance dans le cœur,
j'en ai bien besoin.
Que ta paix m'accompagne
en tout temps.
Et donne-moi la force de comprendre,
de continuer à aimer
et, s'il le faut,
de pardonner.

Amen.

Abandon

Ils l'abandonnèrent tous.
Matthieu 26, 56

Certaines maladies ont mauvaise réputation.
Elles traînent avec elles
des jugements, des méfiances,
des distanciations, des absences
qui finissent par faire plus mal que la maladie elle-même...

Seigneur Jésus,
tu sais de quel mal je souffre.
Tu sais aussi que mon mal
n'est pas que physique!
Je souffre autant dans mon âme
que dans mon corps.
J'ai aussi mal à mon cœur
qu'à ma chair.

À cause de ma maladie,
les gens me redoutent:
ils ont peur de la contagion.
Comme si mes virus se communiquaient
en donnant la main!
Ils me fuient,
ils ont peur de ma compagnie.
Comme si le fait de me visiter
les associait à ma prétendue réputation!
Même mes meilleurs amis
se sont peu à peu éloignés de moi.

Pour toutes sortes de bonnes raisons,
bien sûr!
Même ma famille m'a rejeté.
Finalement, je le vois bien,
ils m'ont tous abandonné.

Il m'arrive, le soir avant de m'endormir,
de penser à toi,
de te prier un peu.
Je ne peux m'empêcher de croire
que, sous certains aspects,
je te ressemble.
Toi aussi, tu as connu le rejet,
la trahison, le reniement,
l'abandon.
Tu t'es retrouvé tout fin seul
pour la dernière ligne droite de ta vie.

Toi qui sondes les reins et les cœurs,
tu sais ce qu'il y a au fond de moi.
Tu sais qu'au-delà des apparences,
je ne te quitte pas d'une semelle.
Je sais aussi d'une certitude absolue
que tu es toujours avec moi
et que toi, tu ne m'abandonneras jamais.

Tiens-moi la main
jusqu'à la fin...
Jusqu'au jour
où je te serrerai dans mes bras,
de l'autre côté du mur.

Amen.

Vieillesse

La couronne des personnes âgées
c'est leur riche expérience;
et leur plus grande gloire
c'est le respect du Seigneur.
Siracide 25, 6

Quand la vie arrive à son couchant...
Quand le fruit est mûr...

Seigneur,
j'ai fait le plein d'années,
je déborde d'âge.
Mes cheveux clairsemés
brillent par leur blancheur
et la peau de mon visage est ratatinée
comme la pelure d'une pomme fanée.
Je n'ai pas de maladie précise,
du moins le docteur ne m'en a pas trouvée.
C'est la vieillesse,
puisqu'il faut bien l'appeler par son nom,
qui rend ma vue plus faible,
qui durcit mon oreille,
ramollit mes jambes
et me courbe l'échine.

L'autre jour, mon petit-fils,
avec la belle candeur des enfants,
m'a demandé tout d'un trait:

«Grand-papa,
dans ton temps,
tu n'as jamais pensé à aller sur la lune?»
J'en ai pris un bon «coup de vieux»!

Mais, quand je regarde ma vie,
je m'aperçois
que si mes bras sont moins forts,
mon cœur est plus tendre.
Ce que j'ai perdu en efficacité,
je l'ai gagné en bonté.
Autrefois, il fallait que je fasse des choses,
aujourd'hui, je me contente d'aimer les gens,
d'apprécier chaque jour qui se lève
et que tu ajoutes à mon existence.
Te le dirais-je?
Je te vois dans la lumière du jour,
mais aussi dans une simple feuille
qui tombe sur la pelouse.
Et encore dans la joie des enfants,
la souplesse des jeunes
et la force des adultes.
C'est peut-être cela
qu'on appelle l'expérience
ou la sagesse
ou le respect de ton Nom.

C'est ce que j'éprouve
quand mes enfants viennent me visiter
avec leur famille.
C'est ce que je ressens
quand ils me demandent conseil.

C'est ce que je vis
quand ils me remercient discrètement.

Il me semble que j'ai mûri
au soleil de la vie,
à la chaleur des gens,
à la lumière de ta Présence.

Je suis comme un fruit
tout prêt à être cueilli.
Je t'attends,
toi, le grand moissonneur.
Quand tu auras grande faim de moi,
viens me prendre dans ta main.
Pour que nous savourions ensemble
ton éternité.

Amen.

Comme un enfant

Laissez venir à moi
les petits enfants...
Luc 18, 16

Parfois, on n'a pas le goût de faire de longues prières.
Non pas qu'on soit fatigué, mais on n'en sent pas le besoin.
On a juste le désir d'être avec le Seigneur,
d'être tout contre lui, comme un enfant contre sa mère.
On se sent bien et cela suffit...

Seigneur,
je n'ai pas de grands désirs,
je n'ai pas besoin de grand-chose.
Je ne recherche pas ce qui me dépasse,
je ne vise pas les honneurs ou la puissance.

Non, je me tiens en paix et en silence
tout contre toi.
Comme un petit enfant contre sa mère.

Mon âme se repose en toi
comme un enfant bien tranquille.

Amen.

Inspiré du psaume 131.

Donne-moi un peu de bon temps

Mon âme est rassasiée
de malheur.
Psaume 88, 4

Un peu de soleil au milieu des nuages,
un peu de sourire au milieu de la tristesse,
un peu de tendresse au milieu de la solitude,
cela se demande... même avec insistance!

Seigneur,
je n'en finis plus
d'essayer de m'en sortir.
Une maladie n'attend pas l'autre.

J'aimerais arrêter de m'empêtrer,
juste pour un moment.
J'aimerais pouvoir respirer à l'aise,
pouvoir marcher sans tomber.
C'est pour quand l'air pur et la route égale?

J'aimerais tant voir
un peu de soleil entre deux nuages.
Je n'en peux plus.
Si seulement tu me donnais
un peu de bon temps,
un petit répit!

Ne me laisse pas.
J'ai besoin de toi.
Je compte sur toi.

Stress

Repose-toi
de tout ton cœur
sur le Seigneur.
Proverbes 3, 5

Le stress, cette maladie des temps modernes,
guette beaucoup de nos contemporains.
Personne n'en est vraiment à l'abri.
Il ne se vit pas seulement au travail,
mais aussi au cœur de nos relations avec les autres,
et parfois avec nous-mêmes...

Seigneur,
je fais du stress.
Je m'en fais trop.
Je dors mal,
je digère mal,
je m'énerve et j'énerve les autres.
Je le vois bien,
je suis en train de me détruire
un peu plus, chaque jour.

Toi qui habites le jardin de mon âme,
sois ma puissante tranquillité.
Garde-moi dans la paix et la sérénité.
Donne-moi assez de foi et d'espérance
pour que je te fasse confiance en tout.
Je m'abandonne à toi.

Prends-moi dans tes bras.
Libère-moi de l'angoisse.
En tes mains, je remets
mon esprit et mon cœur,
mon âme et mon corps,
mon existence tout entière.

Amen.

Alcoolisme

Sauve-moi,
mon Dieu,
je suis entré dans l'abîme des eaux
et le flot me submerge.
Psaume 69, l. 3

Quand on s'enfonce de plus en plus
dans le gouffre de la dépendance...
Quand on voit tout le tort que l'on se fait
et que l'on fait aux autres...
Et qu'on voudrait tant s'en sortir...

Seigneur,
je suis incapable de résister
à un verre ou à une bouteille.
Encore si je me limitais à une consommation!
Mais mon verre n'a pas de fond
et ma bouteille n'a pas de fin!

Je suis malade!
Malade d'alcool
et encore plus d'amour!
Chaque fois que je consomme,
et c'est toujours trop souvent,
je fais des bêtises,
je dis des énormités,
je fais de la peine à des gens
et j'use de violence

envers les personnes que j'aime
et qui m'aiment.
À jeun, je suis une personne aimable,
gentille même.
Je déborde d'affection pour les miens,
d'attention pour les autres.
Mais, «en boisson»,
je deviens tout autre.
Pourquoi suis-je ainsi?
Pourquoi ai-je atteint un tel point?
Je ne m'aime pas.
Je regrette mes violences,
mais c'est toujours trop tard.

Aide-moi à m'aider.
Aide-moi à me faire soigner.
Que j'accepte d'aller en thérapie,
de «faire du meeting»,
d'être sobre.

Je serais tellement mieux
et les miens aussi.

Sans toi, je n'y arriverai pas.
Viens à mon secours.

Avant que les flots ne m'emportent...

Amen.

Ah! si...

Ah! si tu déchirais les cieux!
Isaïe 63, 19

Il arrive que notre nuit soit si opaque
que seul notre cri vers le Seigneur
soit capable de la percer...

Ah! Seigneur,
si tu déchirais ma nuit,
si tu brisais mes chaînes,
si tu me faisais sauter le mur...

Je ne vois plus de lumière
au bout de mon tunnel.
La maladie colle à ma peau
comme un boulet à ma cheville.

Des fois, j'ai l'impression
de m'enfoncer de plus en plus
dans le noir.
C'est comme un étau de fer
qui serrerait toujours plus mon cœur...

J'ai mal à ma vie!
J'ai mal à mon corps!
J'ai mal à mon âme!
Quand donc cela va-t-il finir?
Tu me vois si faible et si misérable!

Je n'ai plus que toi.
Ne me déçois pas.

Ah! Seigneur,
si tu desserrais mes liens,
si tu rafraîchissais mon front,
si tu me libérais de ce mal...

Prends ma main,
raffermis mon pas.
Tu es ma seule bouée,
mon seul port d'attache.
Ne te cache pas,
ne t'en va pas.

Tu es ma dernière chance,
mon dernier feu,
ma dernière main.
Ne me laisse pas tomber,
ne m'abandonne pas.
Je n'ai plus que toi comme recours.
Je m'accroche à toi.

J'ai encore confiance en toi...
malgré tout!

Je t'aime!

Viens me délivrer

Seigneur,
entends ma voix
qui te supplie.
Psaume 86, 6

Parfois, notre prière devient un appel pressant
au Seigneur de délivrance,
dans les grandes difficultés que nous traversons.

Seigneur,
ne t'éloigne pas de moi,
garde-moi tes tendresses.
Que ton amour et ta constante bonté
me protègent en tout!

Car je vis tant de difficultés
que je n'arrive plus à les compter...

Seigneur,
viens me délivrer,
s'il te plaît!
Viens vite à mon aide...

Tu es mon secours et ma sécurité.
Dépêche-toi!

Inspiré du psaume 40.

Que tu es beau, Seigneur!

Oui, Seigneur,
chaque jour,
je veux te bénir.
Psaume 145, 2

Parfois, même s'il faiblit,
le cœur se met à chanter...

Seigneur,
le grand âge s'avance vers moi,
un peu plus chaque jour.
Mes os faiblissent,
ma vue baisse,
mes jambes hésitent...
Mais il me semble
qu'à mesure que mon corps vieillit,
mon cœur rajeunit!

De la fenêtre du foyer qui m'héberge,
je regarde les petits enfants
jouer dans la cour d'en face...
Leur innocence me ravit,
autant que leur insouciance.
Ils me rafraîchissent le cœur.

Mes petits-enfants,
qui ont déjà l'âge de la jeunesse,
viennent me visiter,

avec leurs amis ou leurs connaissances.
C'est beau de les voir
s'essayer à leurs premières amours
et se préparer
à la grande aventure de la vie...
Leur enthousiasme me plaît,
autant que leur générosité.
Ils m'enivrent le cœur.

Je vois aussi mes enfants,
qui ont leur famille,
empoigner la vie à pleines mains,
travailler notre immense terre...
Leur force me fascine,
autant que leur courage.
Ils me comblent le cœur.

Je nous regarde, nous,
les gens du «bel âge»,
sourire à toutes ces jeunesses.
Il y a bien un peu de nostalgie
dans nos yeux...
Mais il y a surtout,
il me semble,
un brin de ta tendresse,
un petit peu de ta bonté
et beaucoup d'amour.
Ils me calment le cœur.

Seigneur,
ce n'est pas trop te vanter
que de dire
que tu fais toutes choses si belles!
À chaque saison de la vie,
je te retrouve,
toujours plus surprenant!
Comme tu dois être beau et bon
et plein de vie,
toi que, déjà, je trouve si merveilleux
en tes créatures!
Tu as toute la place
dans mon cœur.

Amen.

Nos limites

Quand mes forces diminuent,
ne m'abandonne pas,
Seigneur.
Psaume 71, 9

Vieillir... Courir moins vite... ou plus du tout.
Dormir moins bien...
Devenir plus fragiles...
Prendre conscience des limites de son corps,
découvrir des failles dans sa personne...
C'est une expérience que nous faisons tous,
un jour ou l'autre...

Seigneur,
depuis quelque temps,
mon corps ne suit plus.
Quand j'étais jeune,
je pouvais lui demander
tout ce que je voulais,
il me le donnait.

Maintenant, il résiste.
Je le vois
à la difficulté que j'ai de récupérer,
à mon essoufflement dans les escaliers,
à mes nuits écourtées,
à mes digestions plus laborieuses...

Mais il n'y a pas que mon corps,
il y a aussi ma mémoire.
Elle oublie tant de choses
que je voudrais retrouver,
mais elle en retient d'autres
que je voudrais tant oublier.
J'ai mal à mon corps,
mais aussi à mon âme.

J'ai de la difficulté à l'accepter.
Je m'en rends compte chaque jour:
c'est plus dur que je pensais de vieillir!
Donne-moi de la sérénité
et de la patience envers moi-même.

Donne-moi surtout de la sagesse
pour compenser
ma faiblesse grandissante.

Amen.

Continuer à vivre...

Ô Dieu,
ne me rejette pas,
au temps de mes vieux jours!
Psaume 71, 9

Il arrive qu'on se pense arrivé au bout du chemin,
qu'on ne voit plus ce que la vie pourrait nous apporter.
Elle ne semble plus intéressante à vivre.
La terre elle-même apparaît trop petite pour nous...
Alors, la tentation de quitter cette vie peut se présenter...

Seigneur,
je viens de prendre ma retraite,
après une vie de travail bien remplie:
responsabilités nombreuses,
activités importantes, etc.

Je peux te dire
que ce n'est pas facile
de ne rien faire ou presque,
après une vie aussi active.
Pourtant, je m'en promettais
des loisirs à mon goût!

Aussitôt ma retraite commencée,
ma santé s'est détériorée.
J'entends de plus en plus mal,
il me faudra même un appareil.
Le médecin m'a découvert une bosse

sous l'aisselle droite, cela m'inquiète.
J'ai failli avoir un accident d'auto
la semaine dernière,
je crains de ne plus pouvoir
conduire ma voiture.
Et puis, maintenant que j'ai plus de temps à moi,
il m'arrive de regarder ma vie par en arrière.
Je n'y vois pas que des roses,
j'y vois aussi des épines qui me font mal.

Tout cela me donne à réfléchir.
Je me demande
si je suis encore utile à la société.
Je m'inquiète de la qualité de ma retraite.
À quoi bon continuer à vivre,
si c'est pour traîner
et vivre dans l'inquiétude, l'amertume même?

Il me passe toutes sortes d'idées par la tête.
La tentation d'en finir en douce
m'effleure l'esprit, de temps en temps.
Ce serait si facile
de m'«assister» dans ma propre fin.

Mais j'ai la certitude
que ce n'est pas
ce que tu attends de moi.
Aide-moi à trouver
de nouvelles raisons de vivre,
aide-moi à vivre tout court.
Avant d'aller te retrouver
pour toujours.

Amen.

Savoir partir

Le moment de mon départ est arrivé.
2 Timothée 4, 6

Un vieux sage a dit:
«Il vaut mieux partir quand tout le monde veut qu'on reste
que de rester quand tout le monde veut qu'on parte!»
Facile à dire!

Seigneur,
je vois
à divers petits signes
que je devrais ralentir un peu.

Mais je ne vois pas bien
qui pourrait me remplacer.
Je fais un travail très spécialisé,
presque unique.
Peu de personnes sont intéressées
à prendre la relève.
Et puis j'ai construit ce poste
presque à bout de bras.
Je n'ai pas envie
qu'un autre le jette par terre.

Je me demande quand même
si toutes ces belles raisons,
que je me donne
pour rester en place,
ne sont pas de fausses raisons.

Au fond, j'ai du mal
à accepter de diminuer,
d'avoir moins de responsabilités,
de recevoir moins de gratitude,
d'être moins capable de «performer»
et surtout de penser
qu'un autre pourrait faire
aussi bien et même mieux que moi.

Apprends-moi
à écouter les divers signes
que tu me fais,
à commencer par ceux de mon corps.
Apprends-moi
à ne pas trop regarder en arrière.
Apprends-moi
à faire confiance
à la personne qui me succédera.
Apprends-moi
à passer le flambeau,
sans remords et sans regrets,
sans inquiétude et sans méfiance.
Apprends-moi surtout
à penser
que tu es là, au carrefour de ma vie,
à me tendre la main
pour de nouveaux défis.

Amen.

Seigneur,
écoute ma prière.
Psaume 86,6

Prières usuelles

Le signe de la croix

*C'est une habitude chez nous de commencer la prière par le **Signe de la croix.***
Les paroles traduisent notre foi en la Trinité très sainte et la confiance que nous mettons en notre Dieu.
Le geste que nous traçons sur nous rappelle la croix du Christ qui nous sauve et qui donne un sens à nos croix quotidiennes.

Au nom

du Père

et

du Fils

et

du Saint-Esprit.

Amen.

Notre Père

Quel que soit notre âge, quelle que soit notre condition, nous sommes les enfants bien-aimés de notre Père du ciel.
Saint Jean n'hésite pas à affirmer ceci: «Voyez quel grand amour nous a donné le Père pour que nous soyons appelés enfants de Dieu et que dès maintenant nous le soyons réellement» (1 Jean 3, 1-2).
C'est pourquoi nous disons en toute confiance le ***Notre Père****, comme le Seigneur lui-même nous a demandé de le faire.*

Notre Père
qui es aux cieux,
que ton Nom soit sanctifié,
que ton règne vienne,
que ta volonté soit faite
sur la terre comme au ciel.

Donne-nous aujourd'hui
notre pain de ce jour;
pardonne-nous nos offenses
comme nous pardonnons
à ceux qui nous ont offensés.
Et ne nous soumets pas
à la tentation,
mais délivre-nous du Mal.

Amen.

Ave Maria

*La belle prière de l'**Ave Maria,** que nous disons souvent le matin et le soir, constitue la partie principale du chapelet.*
En la récitant, nous pouvons nous associer à la salutation de l'ange Gabriel à Marie (Luc 1, 26-28). Et nous pouvons faire nôtres les demandes de la deuxième partie qui nous rappellent que nous sommes tous pécheurs et qu'un jour nous arriverons au terme de notre vie.

Je te salue,
Marie,
comblée de grâce.
Le Seigneur est avec toi.
Tu es bénie
entre toutes les femmes.
Et Jésus,
ton enfant,
est béni.

Sainte Marie,
Mère de Dieu,
prie pour nous, pécheurs,
maintenant
et à l'heure de notre mort.

Amen.

Gloire au Père

*Quand nous disons la prière du **Gloire au Père**, nous chantons la louange de notre Dieu. Un Dieu en trois personnes, qui existe depuis toujours et pour toujours, et qui a voulu entrer en communion avec nous.*

Gloire au Père
et au Fils
et au Saint-Esprit.

Au Dieu
qui est,
qui était
et qui vient,
pour les siècles des siècles.

Amen.

Viens, Esprit Saint

L'Esprit Saint est capable de nous éclairer sur ce que nous avons à faire et à être, dans les diverses circonstances de notre vie.
Il est capable aussi de nous donner la force de marcher dans la lumière entrevue.

Viens,
Esprit Saint,
remplis le cœur de tes fidèles.
Allume en eux
le feu de ton amour.

Amen.

Credo

Beaucoup de gens parmi nous disent régulièrement la belle profession de foi du ***Credo.***
Nous la disons au début du chapelet, nous la disons également à la messe du dimanche.
Il est bon de nous rappeler les grandes vérités de notre foi et surtout de les réciter, en ayant au cœur la conviction que le Seigneur nous aime et qu'il est avec nous, en tout ce qui nous arrive.

Je crois en Dieu,
le Père tout-puissant,
créateur du ciel et de la terre.

Et en Jésus-Christ,
son Fils unique,
notre Seigneur,
qui a été conçu du Saint-Esprit,
est né de la Vierge Marie,
a souffert sous Ponce Pilate,
a été crucifié,
est mort et a été enseveli,
est descendu aux enfers,
le troisième jour
est ressuscité des morts,
est monté aux cieux,
est assis à la droite de Dieu,
le Père tout-puissant,
d'où il viendra juger
les vivants et les morts.

Je crois
en l'Esprit Saint,
à la sainte Église catholique,
à la communion des saints,
à la rémission des péchés,
à la résurrection de la chair,
à la vie éternelle.

Amen.

Actes de foi, d'espérance et de charité

Voici les prières qu'on appelle ordinairement les **Actes.** *Elles correspondent aux trois vertus théologales: la foi, l'espérance, la charité.*
On peut les réciter tout au long de la journée. Elles entretiennent notre relation avec le Seigneur, au cœur de ce que nous vivons.

Mon Dieu,
je crois fermement toutes les vérités
que vous avez révélées
et que vous nous enseignez par votre Église,
parce que c'est vous qui l'avez dit
et que vous êtes la Vérité même.

Mon Dieu,
appuyé sur vos promesses
et sur les mérites de Jésus-Christ,
mon Sauveur,
j'espère avec une ferme confiance
que vous me donnerez la grâce
de vivre en ce monde
selon vos commandements
et d'obtenir ainsi le bonheur éternel.

Mon Dieu,
je vous aime de tout mon cœur
et plus que tout,
parce que vous êtes infiniment bon;
et j'aime le prochain
comme moi-même
pour l'amour de vous.

Acte de contrition

Nous sommes tous pécheurs. C'est pourquoi nous avons besoin de recourir au Seigneur pour obtenir son pardon et pour lui demander son aide, afin de mieux vivre en son amour.
Disons régulièrement notre **Acte de contrition.**

Mon Dieu,
j'ai un très grand regret
de vous avoir offensé,
parce que vous êtes infiniment bon,
infiniment aimable
et que le péché vous déplaît.

Pardonnez-moi
par les mérites de Jésus-Christ,
mon Sauveur.
Je prends la ferme résolution,
avec le secours de votre sainte grâce,
de ne plus vous offenser
et de faire pénitence.

Amen.

Prière de sérénité

Ce n'est pas pour rien qu'on nomme la prière suivante la ***Prière de la sérénité.***
Cette prière, bien connue des Alcooliques Anonymes, peut nous apporter la paix aux jours de grande inquiétude ou de forte souffrance et nous donner le courage de faire les choix qui s'imposent dans notre vie.

Mon Dieu,
donnez-moi
la sérénité
d'accepter les choses
que je ne puis changer,
le courage
de changer celles que je peux
et la sagesse
d'en connaître la différence.

Amen.

Souvenez-vous

Cette prière à Marie, qu'on a l'habitude de nommer le ***Souvenez-vous****, est une ardente supplication en même temps qu'un chant de confiance.*
Elle fait partie du patrimoine chrétien.

Souvenez-vous,
ô très miséricordieuse Vierge Marie,
qu'on n'a jamais entendu dire
qu'aucun de ceux qui ont eu recours
à votre protection,
imploré votre assistance
ou réclamé vos suffrages,
ait été abandonné.

Animé de cette confiance,
ô Vierge des vierges,
ô ma Mère,
je viens à vous,
et, gémissant sous le poids
de mes péchés,
je me prosterne à vos pieds.

Ô Mère du Verbe incarné,
ne méprisez pas mes prières,
mais écoutez-les favorablement
et daignez les exaucer.

Amen.

Le Rosaire

La prière du **rosaire** *est traditionnelle dans la piété chrétienne. Elle n'est pas une simple répétition d'une même formule. Elle est bien plutôt l'expression incessante de l'amour des enfants de Dieu à Marie: «Tu peux m'écrire cent fois "Je t'aime", ça fera le plus beau des poèmes», chante un chansonnier de chez nous.*
Le **rosaire,** *c'est aussi l'évocation méditée des grands moments du mystère du salut... à travers la joie, la douleur et la gloire.*
Le **rosaire** *est souvent une prière bien indiquée pour les malades, qui ont souvent du temps pour égrener leur chapelet; pour les visiteurs également qui peuvent réciter une dizaine ou deux avec la personne malade qu'ils viennent voir.*
On sait que le **rosaire** *consiste en la récitation de trois chapelets. Chacun rappelle tour à tour les mystères joyeux, douloureux et glorieux du salut.*
*Le chapelet est lui-même composé de cinq dizaines d'***Ave Maria.** *Et chaque dizaine est précédée d'un* **Notre Père** *et suivie d'un* **Gloire au Père.**

Mystères joyeux

Ces mystères racontent les premières années de la vie de Jésus et la présence aimante de Marie à ces événements.

1. L'ange Gabriel annonce à Marie qu'elle va devenir la mère du Sauveur du monde: «Qu'il me soit fait selon ta parole» (Luc 1, 26-38).

2. Marie visite sa cousine Élisabeth: «Mon âme exalte le Seigneur» (Luc 1, 39-56).

3. Jésus naît à Bethléem: «Un Sauveur nous est né» (Luc 2, 1-20).

4. Marie et Joseph présentent Jésus au Temple: «Lumière des nations» (Luc 2, 22-40).

5. Marie et Joseph retrouvent Jésus au Temple: «Ne saviez-vous pas que je dois m'occuper des affaires de mon Père?» (Luc 2, 41-52)

Mystères douloureux

Ces mystères nous rappellent les souffrances de la passion et de la mort de Jésus.

1. Jésus, voyant venir sa passion et sa mort, est en proie à un combat intérieur bouleversant: «Père, que ce calice s'éloigne de moi... mais que ta volonté soit faite» (Matthieu 26, 36-46).

2. Jésus comparaît devant Pilate: «Après avoir fait flageller Jésus, Pilate le livra pour être crucifié» (Matthieu 27, 11-26).

3. Des soldats déposent une couronne d'épines sur la tête de Jésus: «Salut, roi des Juifs!» (Matthieu 27, 27-31).

4. Jésus, condamné à mort, porte sa croix jusqu'au Calvaire (Luc 23, 26-32).

5. Jésus meurt sur la croix entre deux bandits. Marie est à ses pieds avec l'apôtre Jean: «Femme, voilà ton fils... Voici ta mère» (Jean 19, 25-27).

Mystères glorieux

Ces mystères soulignent la gloire de Jésus, de l'Esprit Saint et de Marie.

1. Jésus ressuscite, vainqueur de la mort: «Celui que vous cherchez n'est plus ici, il est ressuscité» (Luc 24, 1-8).

2. Jésus ressuscité est «enlevé au ciel», il donne aux apôtres la mission de continuer son œuvre de salut: «Voici que je suis avec vous jusqu'à la fin des temps» (Matthieu 28, 16-20).

3. L'Esprit du Seigneur descend sur les Apôtres et sur Marie réunis au Cénacle: «Tous furent remplis de l'Esprit Saint» (Actes 2, 1-13).

4. À la fin de sa vie, Marie fut emportée au ciel, corps et âme, tel est le dogme de notre foi (Pie XII).

5. Marie est proclamée Reine du ciel et de la terre (Apocalypse 21, 1-5).

Tout le jour,
Seigneur,
je t'appelle.
Psaume 88, 10

Prières

- le matin
- en cours de journée
- le soir

Prières du matin

Le jour se lève

Cette prière commence bien la journée:
elle est faite d'humble confiance en Dieu
et contient un programme évangélique simple.

Seigneur,
tout est tranquille autour de moi.
Le jour se lève.
J'en profite pour te prier un peu.

J'ai besoin de ta lumière et de ta force,
de ta douceur et de ta joie,
à chaque jour,
tu le sais bien.
Qu'elles soient au rendez-vous
aujourd'hui encore.

Donne-moi tes yeux
pour voir ce qu'il y a de bon
en chaque personne
et donne-moi ton cœur
pour les aimer
comme tu les aimes toi-même.
Qu'elles découvrent un peu de toi
dans mon regard,
dans mon accueil,
dans mon écoute.

Et que ta paix, ta grande paix,
nous habite tous tout au long de ce jour.

Amen.

Bénis ma journée

Voici une prière pleine de foi sincère,
centrée sur la vie de tous les jours,
marquée par l'amour de Dieu et des autres.

Seigneur,
une nouvelle journée va commencer.
Malgré ma situation de malade,
j'ai en tête plein de choses à faire
et j'ai dans le cœur plein de gens à aimer.
Je sais bien
que je ne pourrai réaliser
tout ce que je pense
et que je n'aimerai pas
comme je le voudrais.
Bénis quand même
ce que je réussirai à faire
et pardonne-moi à l'avance
ce que je ne réussirai pas.

Que l'affection que je donnerai en ce jour
soit pure et bonne.
Donne-moi assez de foi
pour te reconnaître dans les personnes
qui me soigneront et qui me visiteront.
Et donne-leur assez d'espérance
pour te trouver en moi.
Seigneur,
bénis ma journée.

Amen.

Espérance

Cette prière est remplie de simplicité et de tendresse,
de paix et de douceur,
d'abandon au Seigneur.

Seigneur,
je te remercie pour la nuit que j'ai passée
et pour la journée qui commence.

Donne-moi de la patience et de la douceur
devant les personnes compliquées
et les situations difficiles.
Aide-moi à discerner
ce que tu attends de moi
à chaque moment de ce jour.
Mets dans mon cœur de la joie
et sur mes lèvres un sourire
dans mes rapports avec les autres.
Rends-moi capable
de donner et de recevoir le pardon,
chaque fois qu'il le faudra.
Que je sois un reflet de ton amour,
tout au long de ce jour.
Que ma souffrance ne soit pas inutile
ni trop lourde à porter,
pour les autres et pour moi-même.
Et qu'à chaque instant je te retrouve,
attentif à tout ce que je vis.

Amen.

Une chance pour moi

Cette prière est particulièrement destinée
aux personnes qui souffrent beaucoup,
aux personnes invalides
ou forcées au repos et à l'inaction.

Seigneur,
pendant que les gens se préparent
pour leurs activités de tous les jours,
moi je reste au lit,
capable de bien peu de choses,
apparemment inutile.

Si des gens viennent me voir aujourd'hui,
que je les reçoive aimablement:
la visite me fait tant de bien!

Si j'ai du mal à m'endurer,
que je ne le fasse pas trop porter
par les autres,
surtout pas par les personnes
qui prennent soin de moi.
Elles font plus que leur possible.

Garde-moi d'une trop grande tristesse
et encore plus de l'amertume et de la colère.
Mets dans mon cœur un peu de fraîcheur
et conserve-moi dans ta confiance.
Que cette journée soit une chance pour moi
de te trouver, de te rencontrer
et de continuer à mieux t'aimer.

Prières en cours de journée

Je ne t'oublie pas

On peut dire cette prière
à tout moment, dans la journée.
C'est une prière d'apaisement
qui vise à raviver l'amour
avec Dieu et les gens.

Seigneur,
je prends quelques instants
pour te redire
que je t'aime toujours
et que je ne t'oublie pas,
à mesure que la journée avance.

Je veux te présenter les personnes
qui s'occupent de moi, aujourd'hui,
et celles qui vont me visiter.
Garde-les dans ton amour.
Qu'elles soient toutes heureuses
le plus possible.

Je veux te dire enfin
que je sais que tu m'aimes
partout et toujours,
encore plus en cette période difficile
que je traverse présentement.
Et je t'en remercie
du fond du cœur.

Amen.

Je pense à toi

Cette prière toute simple
est faite d'attention au Dieu aimé.
Elle vise à garder bien vivante
notre relation avec lui.

Seigneur,
je n'ai pas grand-chose à faire,
je suis malade.
Mais je m'arrête quand même
un petit moment,
au milieu de ce jour,
pour penser à Toi.

Je n'ai rien de particulier à te dire,
ma journée s'écoule normalement.
Mais je prends ce temps
juste pour toi,
juste pour la joie de te saluer
et pour le plaisir de te redire
que je suis bien avec Toi.
C'est comme si je venais
te redire «bonjour»
et te serrer la main à nouveau
tout simplement.

Je t'aime bien,
tu sais.

Amen.

Je m'ennuie

Cette prière est supplication au Seigneur,
quand la journée est longue
et que la douleur est lourde.

Seigneur,
écoute-moi.
J'ai du mal à supporter ma douleur.
Je trouve le temps long et je m'ennuie.
La visite se fait rare
et, même si j'ai de bons soins,
j'en ai plein le dos
d'être à la charge de tout le monde.
À certains moments,
je me décourage:
je n'en peux plus de souffrir.

Voilà,
il me faut bien le dire à quelqu'un.
Je sais que toi,
tu peux le prendre,
toi qui as tant souffert
quand tu es venu sur la terre
pour nous aimer jusque sur la croix.

Tiens ma main,
que je sente ta main dans la mienne.
Raffermis-moi.
Donne-moi ta paix
et rapproche-moi de toi.

Amen.

Prière simple

Cette prière, toute en douceur,
exprime notre affection et notre tendresse
pour le Seigneur.

Seigneur,
reste avec moi.
Avec toi,
je suis si bien.

J'ai posé ma tête sur ton épaule
et j'ai savouré ta tendresse... doucement.
J'ai mis ma main dans ta main
et j'ai partagé ta sécurité... calmement.

Tu as mis mon âme
dans une grande tranquillité
et dans une grande fraîcheur.

Oui,
avec toi,
je suis bien.
Reste avec moi.

Amen.

La visite

Cette prière prépare bien
à recevoir «la visite»,
intéressante ou pas...

Seigneur,
c'est agréable d'avoir de «la visite».
Surtout quand on est seul
ou qu'on ne peut pas se lever.
C'est réconfortant de se rendre compte
qu'il y a encore des gens
qui pensent à nous.
Mais, des fois, c'est fatigant.
«La visite» n'est pas toujours intéressante,
elle est même «ennuyante» parfois.
Elle ne sait plus partir
et les enfants finissent par m'énerver!
Le temps ne passe pas assez vite...

Seigneur,
toi qui savais si bien accueillir tout le monde,
donne-moi un peu de ta bonté
pour bien recevoir «la visite» qui viendra
et ta délicatesse pour la remercier d'être venue.

Amen.

Prières du soir

Me voici devant toi

Cette prière du soir est pétrie
d'amour et de paix.
Elle remet la personne
dans les mains de Dieu.
En toute confiance.

Seigneur,
me voici devant toi,
à la fin d'une autre journée de maladie.

Ce que j'ai fait de bon,
prends-le et donne-lui vie.
Ce que j'ai fait de mal,
fais couler sur lui
le fleuve de ta miséricorde inlassable.

Sur les personnes
que j'aurais pu chagriner aujourd'hui,
dépose le grand manteau de ta tendresse.
Sur celles que j'ai jugées,
étends l'ombre de ta paix.
Aux gens qui m'ont donné des soins,
donne la joie au cœur.
À ceux qui m'ont donné leur sourire,
prodigue la douceur de ton Esprit.

Que ton amour soit avec nous tous
en cette nuit que tu nous donnes.
Et qu'au cœur de notre sommeil,
ta lumière nous illumine!

Bonne nuit!

Cette prière s'appuie sur le Seigneur
qui nous écoute et que nous écoutons aussi,
en faisant le bilan de notre journée.

Seigneur,
comme tous les soirs,
avant de m'endormir,
je me réserve quelques minutes
pour les passer en ta compagnie.

Dans le calme de la nuit
et dans le silence de mon cœur,
je veux te donner ma journée.
Pour les bonnes choses, merci bien;
pour les mauvaises, pardon.
Je te présente aussi les personnes
que j'ai rencontrées aujourd'hui:
donne-leur ta paix et ton amour.

Mais j'ai assez parlé,
je m'arrête pour t'écouter à mon tour.
Je fais silence en moi
pour découvrir un peu mieux
ce que tu attends de moi,
surtout en ces jours de maladie.
Je te fais de la place en moi,
pour que tu te fraies toujours mieux
un chemin jusqu'au fond de mon cœur.

Bonne nuit!

À la fin du jour

Cette prière de fin de journée
est une prière d'abandon et de confiance
au Seigneur.

Seigneur,
la nuit s'avance à grands pas.

Merci pour les gens
que j'ai vus aujourd'hui.
Merci pour toutes les occasions
que j'ai eues d'aimer quelqu'un
et de recevoir de l'affection.

Je veux aussi te demander pardon
pour mes indélicatesses envers des gens
et surtout envers toi.
Je constate encore une fois
que je t'oublie en cours de journée.
Mais je sais que toi tu ne m'oublies jamais.

Je veux te présenter toutes les personnes
que j'aime... et qui m'aiment...
et les autres aussi...
Protège-les et donne-leur ta puissante paix.

Aide-moi à passer une bonne nuit.

Merci bien!

Redis-moi que tu m'aimes

Cette prière est particulièrement appropriée
à la tombée du jour,
quand précisément la journée a été dure,
pour toutes sortes de raisons,
ou quand on regarde sa vie
et qu'on y trouve bien des blessures...

Seigneur,
j'ai besoin, ce soir,
que tu me redises ton amour.

Je suis malade.
Je porte des blessures
en mon corps,
mais aussi en mon cœur
et en mon âme.

Je suis las à en mourir.
Toutes ces années de travail
jusqu'à m'épuiser.
Aujourd'hui, j'en paie le prix,
je suis usé jusqu'à la corde.
Et cette maladie
qui me jette par terre!
Je me sens inutile et de trop,
je suis brisé jusqu'aux os.
Me voici devant toi!

Avec le poids de ma misère,
avec le fardeau de ma maladie,
avec le joug de mon péché aussi.

Redis-moi
que tu m'aimes,
redis-moi
que tu ne m'abandonneras jamais.
J'ai tant besoin
de te l'entendre dire.

Amen.

Je veux te dire bonsoir

Cette prière est un dialogue amical
avec le Seigneur
qui nous connaît
mieux que nous-mêmes.

Seigneur,
je veux te dire bonsoir
juste avant de m'endormir.

J'espère que pour toi
la journée a été bonne.
Parfois, je me dis
que tu dois être fatigué
d'écouter tous et chacun
te raconter leur boniment.
Surtout que la plupart du temps
ils t'apportent leurs problèmes!
Et même que parfois
ils te disent des bêtises!

Mes problèmes,
tu les connais mieux que moi.
Je te les ai racontés
sur tous les tons,
depuis que je suis malade.
Ce soir, je ne te les dirai pas.

Je veux seulement
te dire bonsoir
et surtout te redire
que j'essaie de t'aimer
le mieux possible.
Je veux par-dessus tout
accueillir une fois de plus
l'amour que tu ne cesses jamais
de me donner.

Il n'y a pas d'âge
pour être en amour,
tu sais.
Et puis, c'est tellement bon.

Après cela,
il n'y a plus qu'à être avec toi,
sans rien dire.

Bonsoir!

À Marie

Cette prière traduit la confiance d'un enfant envers sa Mère du ciel.

Sainte Vierge Marie,
la fatigue me gagne,
la maladie m'épuise.

Quand tu vivais sur la terre,
toi aussi tu as connu
la souffrance et la peine.
Tu n'as pas tout compris tout de suite
et tu n'as pas toujours été comprise.
Tu es devenue la «mère des douleurs».
Tu es aussi notre mère à tous.

Ce soir,
je dépose ma peine devant toi,
je te donne ma souffrance
comme un enfant devant sa mère.

Écoute-moi,
accueille-moi.
Prends-moi comme je suis.
Aime-moi tout simplement.

Vierge Marie,
j'ai confiance en toi.

Amen.

Ta main
me conduit.
Psaume 139, 10

Paroles de réconfort

L'amour du Seigneur est éternel

Comme la prunelle de l'œil,
protège-moi;
sous tes ailes,
cache-moi.
Psaume 17, 8

Les montagnes peuvent bien s'en aller
et les collines peuvent bien être ébranlées.

Mon amour pour toi, lui,
ne partira jamais.

Isaïe 54, 10

Le Seigneur est mon berger

Je suis le bon berger;
je connais mes brebis
et mes brebis me connaissent.
Jean 10, 14

Le Seigneur est mon berger,
je n'ai besoin de rien.

Sur des prés d'herbe fraîche,
il me fait coucher.
Près des eaux du repos,
il me conduit pour me refaire.
Il me guide par le bon chemin
pour l'amour de son nom.

Si je traverse un ravin mortel,
je n'ai pas peur:
tu me tiens la main
et ton bâton me rassure.
Sous mes yeux, tu prépares une table,
juste devant mes adversaires.
Tu verses sur ma tête une huile parfumée
et tu remplis ma coupe jusqu'au bord.

Oui, l'amour et le bonheur m'accompagnent
chaque jour de ma vie.
J'habiterai la maison du Seigneur
jusqu'à la fin de mes jours.

Amen.

Inspiré du psaume 23.

Nous sommes les enfants de Dieu

Le Seigneur est bonté
pour tous.
Psaume 145, 9

Voyez de quel grand amour
le Père nous a aimés.

Non seulement nous sommes appelés
enfants de Dieu,
mais nous le sommes réellement!

Bien-aimés,
dès aujourd'hui,
nous sommes enfants de Dieu!

1 Jean 3, 1-2

Si...

Seigneur,
viens me sauver.
Isaïe 38, 20

Si ton existence est appesantie
par le mal que tu as fait,
par le mal qu'on t'a fait aussi,
et encore par le mal qui te dévore...

Si tu as mal à l'âme,
et au cœur et au corps aussi...

Si ta nuit est sans étoiles
et ton jour sans soleil...

Si tu ne vois plus
le bout de ton chemin,
si tu ne sais plus
la route à suivre...

Ne reste pas là sans bouger.
Tourne ton regard vers Jésus
qui déjà te fait signe.
Tends-lui la main,
il te présente déjà la sienne...

Tu verras,
tes forces reviendront,
tes yeux pétilleront de lumière,
ta vie reprendra tout son sens.
Et l'espoir refleurira
au jardin de ton cœur.

Le Seigneur te pardonne

Je te pardonnerai
tout ce que tu as fait
Ézéchiel 16, 63

Quand bien même tes péchés
seraient rouges comme l'écarlate,
je les rendrai blancs comme la neige.

Et quand bien même
ils seraient rouges comme le vermillon,
je les blanchirai comme la laine.

Isaïe 1, 18

Le Seigneur nous aime

Dieu est Amour...
Ce n'est pas nous
qui avons aimé Dieu;
c'est lui qui nous a aimés.
1 Jean 4, 8. 10

Seigneur,
tu aimes tous les êtres.
Tu n'as de dégoût
pour aucune de tes œuvres.
Si l'une d'entre elles t'avait déplu,
tu ne l'aurais pas faite.

Tu t'occupes de tout ce qui existe
parce que tout est à toi.
Maître, tu es ami de la vie.
Et ton souffle immortel
habite toutes les créatures.

Sagesse 11, 24 – 12, 1

Avec lui...

Je serai avec vous
tous les jours,
jusqu'à la fin du monde.
Matthieu 28, 20

Elles sont certaines les paroles que voici:

«Si nous mourons avec le Seigneur,
avec lui aussi nous vivrons.

Si nous tenons ferme avec lui,
avec lui aussi nous régnerons...»

2 Timothée 2, 11-12

Je ne t'oublierai jamais

Dieu a entendu ma voix,
il m'apporte la paix.
Psaume 55, 18-19

Une femme peut-elle oublier
l'enfant qu'elle nourrit?
Une maman peut-elle arrêter d'aimer
l'enfant qu'elle a porté?

Eh bien!
même s'il y en avait une
qui l'oublierait,
moi, je ne t'oublierai jamais!

Regarde:
j'ai gravé ton nom
sur les paumes de mes mains.

Isaïe 49, 15-16

Le Seigneur t'aimera toujours

J'espère le Seigneur
de toute mon âme.
Psaume 130, 5

Y a-t-il quelque chose
qui pourrait te séparer
de l'amour que le Seigneur a pour toi?
 la détresse?
 l'angoisse?
 l'abandon?
 la faim?
 le dénuement?
 le danger?
 la souffrance?

Elle est sûre cette parole:
 ni la mort,
 ni la vie,
 ni les esprits,
 ni le présent ni l'avenir,
 ni les astres,
 ni les cieux,
 ni les abîmes,
 ni aucune créature,
rien ne pourra te séparer de l'amour de Dieu
qui est en Jésus
et qu'il te porte!

Inspiré de la lettre de saint Paul aux Romains 8, 35. 39.

Aie confiance dans le Seigneur

Je compte sur toi.
Psaume 143, 8

Le Seigneur redonne de l'énergie
aux personnes qui faiblissent.
Il augmente l'endurance
de celles qui n'en peuvent plus.

Les jeunes eux-mêmes
se fatiguent et se lassent.
Même les champions tombent.

Mais les personnes
qui s'appuient sur le Seigneur
reçoivent des forces toutes neuves.
Elles s'élancent comme des aigles.
Elles courent sans se fatiguer.
Elles avancent sans faiblir.

Isaïe 40, 29-31

La croix de Jésus

Avec le Christ,
je suis cloué à la croix.
Et, si je vis,
ce n'est plus moi qui vis,
c'est le Christ qui vit en moi.
Galates 2, 19-20

Regarde la croix de Jésus.
Fixe-la, contemple-la.
Longuement.
Amoureusement.
Tu verras comme elle t'apportera
paix, confiance et lumière.

Regarde ta croix.
Regarde la croix des gens.
Regarde-les
sans quitter du regard la croix de Jésus.
Tu uniras toutes ces croix
dans le grand mouvement d'amour
qui emporte Jésus
de son Père jusqu'à nous
et qui nous emporte
de Lui jusqu'à Dieu.
C'est l'amour
qui décrucifie le monde,
qui nous décrucifie,
qui te décrucifie.
L'amour de Jésus,
le nôtre et le tien...

Ne crains pas

Déchargez-vous
de tous vos problèmes
sur le Seigneur,
il prend soin de vous.
1 Pierre 5, 7

Ne crains pas,
j'ai pris sur moi ta cause.

Je t'ai appelé par ton nom,
tu es à moi.

Si tu passes par des rapides chargés d'écume,
je serai avec toi.
Si tu traverses les grandes eaux,
tu ne te noieras pas.

Si tu marches sur la braise,
elle ne te brûlera pas,
la flamme ne te touchera pas.

Car, moi, le Seigneur,
je suis ton Dieu,
je suis ton Sauveur.

Tu comptes beaucoup pour moi,
tu as du prix à mes yeux.
Je t'aime.

N'aie pas peur,
je suis avec toi.

Isaïe 43, 1-5

Le Seigneur ne nous abandonne jamais

Je ne te lâcherai pas,
je ne t'abandonnerai jamais.
Hébreux 13, 5

Le Seigneur ne nous abandonne jamais.
Il ne nous laisse jamais seuls.
Quoi qu'il nous arrive!

Parfois, il marche avec nous,
il nous tient la main.
Nous voyons ses pas
sur le sable de la plage
juste à côté des nôtres.
Il fait jour dans notre vie,
la lumière et la joie nous habitent.

Parfois, nous ne le voyons plus,
nous ne sentons plus
sa main serrer la nôtre.
Nous ne voyons plus qu'une trace
sur le sable du désert.
Mais c'est la sienne.
Il nous porte dans ses bras,
tout contre son cœur.
Mais c'est de nuit!

Seigneur,
ne nous quitte jamais!

L'amour du Seigneur nous enveloppe

N'ayez pas peur!
Tenez bon!
C'est le Seigneur lui-même
qui luttera pour vous;
vous n'aurez rien à faire!
Exode 14, 13-14

Le Seigneur te garde.
Il est ton ombrage.
Il est à ton côté.

Le jour, le soleil ne te fera aucun mal.
Et la nuit, la lune ne te nuira pas.

Le Seigneur te protégera de tout malheur.
Il sauvera ta vie.

Le Seigneur te gardera
à ton aller comme à ton retour,
dès maintenant et pour toujours!

Psaume 121, 5-8

Le Seigneur nous aime assez...

Je suis avec lui
dans son épreuve.
Psaume 91, 15

Retiens bien ceci:
ta maladie n'est pas une punition
que le Seigneur t'envoie pour tes péchés.
Ne te culpabilise pas.

Souviens-toi:
le Seigneur est ton Père;
il t'aime.
Comme un papa s'occupe de ses enfants,
en tout temps,
et encore plus quand ils souffrent.
Ainsi, il s'intéresse à toi tout le temps,
mais encore davantage depuis ta maladie.

N'oublie pas:
il t'aime et il t'aimera toujours.
Médite ceci tranquillement dans ton cœur:
il t'aime assez
et il est assez puissant
pour tirer du bien
de tout ce qui t'arrive,
même du mal que tu éprouves.
Fais-lui confiance en tout.
Il ne te veut que du bien.
Tiens sa main.
Ne le laisse pas.

Jamais plus...

Oui, tu me guériras,
tu me feras revivre.
Isaïe 38, 16

Jamais plus tu ne verseras de larmes.
Quand tu crieras,
le Seigneur se penchera sur toi.
Et dès qu'il t'aura entendu,
il te répondra.

Quand ton esprit sera saturé d'inquiétude,
le Seigneur te donnera du pain.
Et quand ton cœur sera plein de détresse,
il te versera de l'eau.

Le Seigneur qui t'instruit ne se cachera plus,
tes yeux le verront.
Si tu dois aller à droite ou encore à gauche,
tu l'entendras te dire:
«Voici le chemin, prends-le.»

La lumière de la lune brillera comme le soleil
et le soleil éclairera sept fois plus,
le jour où le Seigneur viendra
pour panser tes blessures
et guérir toutes tes meurtrissures.

Inspiré d'Isaïe 30, 19-26.

Priez
les uns pour les autres.
Jacques 5, 16

Prières pour des malades

Pour notre enfant

Maître,
je t'en prie,
aie pitié de mon enfant.
Luc 9, 38

Seigneur Jésus,
notre enfant est à l'hôpital depuis hier.
Un camion a heurté sa bicyclette:
fractures multiples,
inconscience passagère...
Il a beaucoup de mal.
Il est inquiet
et nous aussi.
Il devra subir plusieurs opérations...

Nous te prions pour lui
et pour nous aussi.
Donne à ses médecins
la science et le doigté nécessaires
pour le remettre en santé, en agilité et en joie.
Ce serait si triste qu'il demeure handicapé.
Donne-lui la confiance en toi
et en toutes les personnes
qui s'occupent de lui.
Et donne-nous, à nous, sa famille,
le courage de notre amour pour lui
et la patience de notre espoir en sa guérison.

Amen.

Pour notre maman

Devant Dieu,
épanchez votre cœur.
Psaume 62, 9

Seigneur Jésus,
maman est malade.
Depuis quelque temps,
ça n'allait pas:
maux de tête, maux de dos,
fatigue chronique,
faiblesse grandissante.
Elle ne se plaignait pas
– les mamans ne se plaignent jamais –
mais on voyait bien
qu'elle souffrait tout le temps.

Dans la famille,
tout le monde connaît sa maladie.
Mais personne n'ose le dire à personne.
Tu le sais autant que nous,
toi qui as eu une maman,
une maman dans une maison,
c'est si important.
C'est le cœur de la famille.
Depuis qu'elle est hospitalisée,
la maison est vide
et nous nous cherchons sans arrêt.
Nous te prions pour notre mère bien-aimée.

Qu'elle trouve enfin un peu de repos,
qu'elle reçoive de bons soins.
Il est sûr en tout cas
qu'elle ne manquera pas d'affection:
tous les soirs, nous serons près d'elle.

Donne-lui de retrouver la santé,
elle nous est si précieuse.
Mais si elle devait nous quitter
pour aller vivre au ciel
avec toi et nos amis déjà là,
donne-nous la force
de poursuivre notre chemin
sûrs que là où elle se trouvera
elle continuera, mais autrement,
de nous aimer
et de nous aider.

Amen.

Avant de visiter une personne malade

Que tous se mettent au service
les uns des autres.
1 Pierre 4, 10

Seigneur Jésus,
je m'arrête pour te prier un peu,
avant d'aller visiter une personne
malade depuis quelque temps.

Donne-moi assez de foi
pour te reconnaître en elle.
Donne-moi assez d'amitié
pour l'écouter avec attention.
Donne-moi assez d'espérance
pour maintenir sa confiance.
Donne-moi un peu de ton cœur
pour compatir, consoler et encourager.
C'est si important une personne malade.

Et qu'en retour, je sache
me laisser enseigner par toi
à travers elle.
J'ai souvent constaté, en effet,
que je reçois bien plus que je donne
dans mes visites aux malades.
À l'avance, je te remercie pour cet échange.

Amen.

Maladie d'amour

Ne te détourne pas
des gens qui pleurent.
Siracide 7, 34

Seigneur,
nous te prions pour notre grande fille.
Elle vit sa première peine d'amour.
Pour nous, ses parents
qui sommes déjà passés par là,
nous sommes portés à lui dire:
«Il n'y a rien là!
Ça va se passer!
La vie, c'est comme ça!»

Mais justement,
pour avoir déjà vécu cette expérience,
nous savons ce que notre fille peut éprouver.
D'ailleurs, elle est toute changée:
elle ne mange plus,
elle ne quitte pas sa chambre,
elle dort mal,
elle a les yeux cernés.

C'est beau, l'amour!
Il n'y a rien de plus beau sur la terre
et rien de plus grand au ciel.
Mais ce n'est pas toujours facile.
Quel apprentissage!

Notre grande fille va s'en sortir,
elle est assez forte pour cela.
Mais, en attendant, c'est la «petite misère».

Viens-lui en aide...
à ta façon.
Nous t'en prions.

Amen.

Souffrance, silence, solitude

Heureux
qui pense aux faibles!
Psaume 41, 2

Seigneur,
je connais quelque part au monde
une personne qui souffre
d'une grande souffrance.
Elle souffre dans sa chair,
mais surtout dans son âme.

Ses meilleurs amis l'ont trahie,
ses familiers l'ont abandonnée,
ses proches l'ont blessée.

Elle est seule, affreusement seule.
Elle souffre dans le silence.
Dans la prière aussi,
car elle croit en toi.

Personne à qui parler,
personne à qui se confier,
sauf toi, Seigneur.

Viens-lui en aide.
Donne-lui paix et réconfort.
Mets sur sa route un bon samaritain
pour l'écouter et l'encourager.

Veille sur elle, c'est ton enfant.

Amen.

Merci

En toute circonstance,
rendez grâce à Dieu.
1 Thessaloniciens 5, 18

Seigneur Jésus,
je viens te dire merci
pour cette personne
qui m'avait demandé de prier pour elle.
Elle subissait des traitements
pour ses yeux
et pour ses pieds,
en raison de son diabète avancé.
Je t'ai prié pour elle,
chaque jour,
et j'ai fait prier aussi.
Je viens de recevoir une lettre,
elle va beaucoup mieux.

Je sais que c'est toi
qui donnes aux médecins
la science pour bien soigner.
Je sais aussi que tu n'es pas insensible
aux demandes des personnes
qui te prient avec confiance et abandon.
Sois remercié, Seigneur,
pour cette personne
qui a retrouvé de la santé
et qui était si contente de me le communiquer.

Amen.

Reconnaître Jésus dans la personne malade

J'étais malade
et vous êtes venus me voir.
Matthieu 25, 36

Seigneur Jésus,
je crois fermement
que c'est Toi que je vais voir,
chaque fois que je vais visiter des malades.
Ils sont pour moi
l'image vivante et le signe réel
de ta personne.
Tu les aimes assez
pour t'identifier à eux.
Et tu nous aimes assez
pour que nous te reconnaissions en eux.

Donne-moi toujours assez d'amour
pour qu'à ton exemple
je sois de plus en plus disponible
pour les rencontrer, les écouter.
Qu'ils te reconnaissent aussi
à travers ma présence.
Et qu'en retour,
ils me donnent un peu de ton cœur.

Amen.

Je visite les malades

N'hésite pas
à prendre soin des malades;
de telles actions te feront aimer.
Siracide 7, 35

Seigneur Jésus,
trois fois par semaine,
je fais la visite des malades.
Je suis bénévole à la paroisse.

Je viens tout juste de finir ma «tournée».
Et je ne veux pas reprendre
mes travaux domestiques
sans te parler un peu.
Je veux te présenter toutes ces personnes
que j'ai rencontrées aujourd'hui.
Ça fait déjà un bon moment
que je fais la visite des malades,
mais je suis incapable de m'habituer,
autant à la souffrance que je côtoie chaque jour
qu'à la paix que je rencontre dans chaque maison.
Quelle belle tâche d'Évangile
que la visite des malades!

J'ai la certitude que tu m'accompagnes
dans mes visites,
toi qui aimais tellement les malades
quand tu vivais sur la terre.

Quand je serre la main d'une personne souffrante
ou que je trace doucement
le signe de la croix sur son front
ou que je lui souris tendrement
ou que nous prions ensemble calmement,
il me semble que c'est toi qui agis
à travers mes gestes et mes paroles.
Et il me semble tout autant
que c'est toi qui me parles,
à travers leurs regards et leurs sourires.

Je te présente tout particulièrement
N... qui est paralysée et ne peut plus parler;
N... qui se déplace en fauteuil roulant;
N... qui est presque aveugle;
N... qui n'a plus qu'une jambe;
N... qui souffre du sida;
N... qui...
et tous les autres que j'oublie.

Donne-moi un cœur qui ressemble au tien,
toujours davantage.

Amen.

Au Seigneur

Sans moi,
vous ne pouvez rien faire.
Jean 15, 5

Seigneur,
madame X... vient juste de sortir
de mon bureau.
Elle est venue me remercier
pour le succès de l'opération de son époux.
Elle m'a avoué, un peu gênée,
qu'elle ne pensait pas
qu'il en sortirait vivant.
«C'est un miracle»
m'a-t-elle dit spontanément.

Son cas, tu le sais, était fort compliqué.
Ce n'est pas pour rien
qu'il est resté six heures
sur la table d'opération!
Il est vrai que toute une équipe spécialisée
a travaillé avec moi, pour lui.

J'ai dit à madame X...
que je transmettrais sa reconnaissance
à toute mon équipe.
Je lui ai dit également,
en lui montrant le crucifix
sur le mur, derrière mon bureau:

«Vous pouvez lui dire merci, à lui aussi.
Il fait partie de notre équipe!
Et il y est pour beaucoup
dans le “miracle”.»
Elle a baissé les yeux
et a renouvelé sa gratitude.

Je le crois fermement:
sans toi, bien des «miracles»
n’auraient tout simplement pas lieu.

Merci encore une fois!
Reste avec nous:
tu es notre meilleur!

À Marie

Près de la croix de Jésus,
se tenait Marie, sa mère.
Jean 19, 25

Ô Marie,
nous te prions
pour toutes les personnes
qui souffrent.

Soutiens-les dans leur douleur.
Apaise leur mal.
Accompagne-les au pied de leur croix,
comme tu l'as fait
pour ton fils, Jésus.

Et quand viendra notre dernière heure,
accueille-nous dans le ciel,
comme seule une mère
tendre et aimante
sait le faire.

Amen.

J'étais malade
et vous avez pris soin de moi.
Matthieu 25, 36

Avec des malades

«Avec»

Le petit mot «avec» veut dire beaucoup de choses.
Il signifie:

- que la personne malade n'est pas seule,
- qu'elle est en communion, en relation, avec d'autres personnes,
- que plusieurs personnes, entrant en contact avec elle, peuvent établir un lien avec elle:
  les membres de la famille, la parenté, les amis, les connaissances, qui viennent la visiter;
  les membres du personnel soignant: les infirmières, les infirmiers, les médecins, etc.;
  les membres des services de pastorale: le prêtre, l'animateur ou l'animatrice de pastorale, etc.;
  les bénévoles qui visitent les malades, qui leur apportent un jus d'orange ou un café, une parole de réconfort, etc.

Ce «lien» peut s'exprimer de mille façons:

- On peut poser des gestes simples, mais parlants:
  lui envoyer la main pour la saluer,
  tenir sa main dans la sienne,
  serrer sa main tendrement, tracer sur son front un signe de croix,
  lui sourire simplement,
  s'arrêter un instant pour lui parler,
  s'informer de sa santé,
  s'intéresser à elle...

- On peut apporter un cadeau:
  des fleurs,
  une carte de souhait,
  un petit mot bien tourné,
  un livre,
  un chapelet,
  une croix,
  une médaille de Marie...

- On peut être là simplement, en silence,
  à côté d'elle, au pied de son lit:
  la présence silencieuse, tendre et aimante,
  est très parlante
  pour une personne qui souffre.

- Si l'on ne peut la visiter, on peut:
  lui écrire,
  lui téléphoner,
  lui envoyer un petit mot par un visiteur,
  lui faire parvenir un cadeau...

- On peut aussi prier avec les malades:
  réciter quelques prières bien connues comme le *Notre Père*, le *Je te salue, Marie* (voir la section de ce livre intitulée **Prières usuelles**),
  reprendre l'une ou l'autre prière de la section de ce livre intitulée **Prières des malades** et la dire doucement avec elles (en leur tenant la main peut-être),
  dire doucement l'une ou l'autre **Parole de réconfort** que l'on trouve dans l'une des sections de ce livre, par exemple, «Le Seigneur est mon berger»...

Si on les visite le matin, l'après-midi ou le soir, on peut choisir la prière appropriée qui se trouve dans la section intitulée **Prières le matin, en cours de journée ou le soir...**
Si l'on visite une personne qui arrive au bout du chemin de sa vie, on peut dire devant elle ou avec elle, quand elle en est capable, la prière qui convient dans la section intitulée **Avant le grand départ...**

- On peut également prier en Église en célébrant ensemble le sacrement de l'**Onction des malades**.

L'Onction des malades

Si quelqu'un parmi vous est malade,
qu'il appelle les prêtres de l'Église.
Ils prieront à ses côtés,
ils lui feront des onctions d'huile
au nom du Seigneur.
Cette prière, faite dans la foi,
le sauvera.
Le Seigneur le relèvera.
Et s'il a commis des péchés
ils lui seront pardonnés.
Jacques 5, 14-15

C'est sur ce très beau texte de saint Jacques que l'Église s'appuie pour célébrer le sacrement de l'**Onction des malades**.

Il n'est pas besoin d'être à la dernière extrémité pour demander ce sacrement. Tous les fidèles qui commencent à avoir une santé gravement atteinte par la maladie ou par la vieillesse peuvent recevoir l'onction des malades. La personne malade peut examiner avec le prêtre si son état de santé, grevé par la maladie ou la vieillesse, la met dans une situation suffisamment difficile pour qu'elle ait besoin de nouvelles forces et, conséquemment, du sacrement des malades.

Par exemple, l'Onction peut être reçue:
- avant une intervention chirurgicale causée par une maladie grave;
- par les personnes âgées dont les forces diminuent, même si elles ne souffrent d'aucune maladie grave connue;
- par les personnes l'ayant reçue une première fois, si la situation de la maladie devient à nouveau préoccupante ou si elles sont atteintes d'une nouvelle maladie;
- etc.

Il faut retenir le grand principe suivant qui s'applique à tous les sacrements de l'Église et en particulier au sacrement de l'Onction des malades: «les sacrements sont au service des personnes.... et non l'inverse.» Jésus vient d'abord et avant tout pour les gens, en particulier pour les malades. Par le sacrement des malades, Jésus leur apporte un grand réconfort et leur permet de «toucher» vraiment sa présence aimante et sa puissance «relevante» qui, par son Église, les remet debout au cœur de leur situation de souffrance et, parfois même, les guérit.

Par cette onction sainte,

que le Seigneur

vous manifeste sa grande bonté

par la grâce de l'Esprit Saint.

Et qu'il vous libère

de tous vos péchés,

qu'il vous sauve

et vous relève.

Et

qu'il vous guérisse!

Amen.

(Rituel du sacrement des malades)

J'espère en toi,
Seigneur,
je compte sur toi.
Psaume 130, 5

Avant le grand départ

Le pont

Le Seigneur Jésus-Christ
transfigurera notre corps de misère
pour le rendre semblable
à son corps de gloire.
Philippiens 3, 21

Seigneur,
je suis arrivé
au quatrième âge de ma vie.
Je suis encore solide,
même si j'ai une canne
pour soutenir mes vieilles jambes.
Je me sens encore vert... ou presque.

Mes mains sont nouées
et tordues par l'arthrite,
mais mes yeux bleus brillent encore
pour regarder tes créatures,
surtout les petits enfants
qui te ressemblent tant.

Mon cœur tient le coup
grâce à mon stimulateur.
Mais il est encore capable d'aimer.
Et l'amour,
c'est ce qu'il y a de plus beau
sur la terre,
c'est un avant-goût du ciel, c'est sûr.

Les gens disent qu'à mon âge
j'ai beaucoup d'expérience.
Mes enfants, eux, disent
que c'est de la sagesse.
Les gens disent que j'ai de la bonté
dans les yeux,
mes petits-enfants, eux, parlent de tendresse.
J'aime mieux cela:
il me semble
que ça te ressemble davantage.

Tu sais,
j'ai beaucoup pensé à la mort,
ces derniers temps.
Je sais bien qu'à mon âge
elle pointe à l'horizon.
Pour moi,
c'est comme un pont
que je vais traverser un jour,
d'une vie à l'autre.
Et de l'autre côté,
il y a toi, Seigneur,
qui m'attends,
qui m'ouvres les bras.

À l'heure qu'il est,
je m'approche du pont,
tranquillement.

Les jours où ça va moins bien,
qui ne sont pas encore trop nombreux,

il m'arrive de penser
que je suis sur le pont.
Le problème,
c'est que ce pont-là
je n'en sais pas la longueur!
Même si je suis sûr
que tu es de l'autre côté
à m'attendre
les bras ouverts,
c'est la première fois
que je vais le traverser!
Tu comprends?

Viens à ma rencontre,
fais un bout de chemin sur le pont.
Il me semble
que la traversée sera plus facile.

J'ai hâte de te voir.

Amen.

Ne me quitte pas!

Ne m'abandonne pas,
Seigneur!
Psaume 38, 22

Seigneur,
je crois que la fin de ma vie approche.
Je le vois à divers indices.

C'est dur
de quitter cette terre,
cette mère généreuse
qui m'a tant donné.
Ça fait mal aussi
de quitter
les personnes que j'aime
et qui m'aiment.
Jamais
je n'aurais cru
qu'il était si difficile
de tout abandonner,
de s'abandonner...

Que veux-tu?
J'ai depuis si longtemps
planté mes racines dans ce sol de joies et de misères
qu'il m'est pénible
de m'en arracher....

Même si ma cime touche déjà
ton ciel!

Mais je brûle d'envie
de te voir face à face.
Depuis le temps
que je te cherche
et que je te prie!
À vrai dire,
je ne vais pas te quitter.
Je vais seulement
te retrouver autrement,
en passant
de ma terre
à ta terre!

Ne me quitte pas non plus,
en ces heures importantes de ma vie.
Sois ma paix.

Amen.

Je m'en vais...

Pour ce qui me regarde,
le moment de ma mort approche.
J'ai combattu le bon combat,
je suis allé jusqu'au bout de ma route,
j'ai gardé la foi.
Maintenant,
la couronne de la victoire m'attend.
Le Seigneur,
en juste juge,
va me la donner...
à moi,
mais aussi
à toutes les personnes
qui attendent avec amour son avènement.
2 Timothée 4, 6-8

Seigneur,
ma vie avance à grands pas
vers son crépuscule.
Quand je la regarde,
j'y vois des ombres et des lumières.
Pour ce que j'ai fait de bien
et pour le bien que l'on m'a fait,
merci, Seigneur.
Pour ce que j'ai fait de mal
et pour le mal que l'on m'a fait,
pardon, Seigneur.

Je m'en vais de plus en plus,
je le sais,
je le sens.
Aide-moi à faire le grand passage,
à faire le grand saut dans l'au-delà.

J'ai hâte de te voir face à face.
Il y a si longtemps
que je te prie,
que je te crois,
que je te désire.

Je sais que tu m'attends
sur le pas de ta porte.
Et je vois déjà
la joie sur tes lèvres et dans tes yeux
et l'accueil dans tes bras.
Tu m'attires de plus en plus vers toi,
comme l'amour attire les gens qui s'aiment.

Ma vie n'a pas été parfaite.
Comme beaucoup,
j'ai fait du mal,
même quand je ne le voulais pas.
Et je n'ai pas fait tout le bien
que j'aurais dû faire.
Mais quand je fais le bilan de ma vie,
il me semble
que l'amour l'emporte sur la haine,
et que, toujours,
malgré mes trébuchements,
c'est toi que j'ai cherché.

J'ai toujours senti
ta main serrer la mienne
et tes pas accompagner les miens,
sur mes chemins.
C'est pourquoi,
je le crois,
dans la balance de ma vie,
le plateau du bien est plus lourd
que celui du mal.
Et je t'en remercie beaucoup.

Seigneur,
je suis à ta disposition.
Viens.
Je t'attends.

Je t'aime.

Amen.

Souffrance et espoir

Sauve-moi,
Seigneur.
Je me fie à toi.
Psaume 86, 2

Seigneur,
j'étais fait pour vivre cent ans.
Et les événements de la vie
m'avaient taillé sur mesure
pour le poste
où l'on venait de me nommer.
J'étais la personne toute désignée
pour remplir cette tâche.

Mais voilà qu'un mal mortel
s'est emparé de moi.
Mes os se carient,
ma force se dilue,
mon regard s'éteint.

Trois mois d'hôpital déjà!
Alors que j'avais vingt ans de «carrière»
devant moi!
Mais, à tes yeux, Seigneur,
trois mois d'hôpital
valent bien vingt ans de travail!
Cela, je l'ai compris
petit à petit...

sur mon lit de douleurs.
La souffrance est un grand maître:
elle relativise bien des choses,
elle nous ramène à l'essentiel.
Et l'essentiel, c'est toi,
rien que toi.

Ceux-là qui parlent ou écrivent
sur la souffrance
ne savent pas ce qu'ils disent,
s'ils n'ont pas vraiment souffert.
Et ils feraient bien mieux de se taire!

S'il est vrai
que tu écris droit
sur les lignes courbes de nos vies,
il n'est pas toujours facile de te lire,
laisse-moi te le dire.
J'en ai mis du temps
avant de pouvoir te décoder!
J'en ai lancé des «pourquoi?»
vers ton ciel!
Mais, aujourd'hui,
je n'essaie même pas de comprendre!
Je me contente d'accepter...
Je suis en paix,
même si la douleur ne m'a pas quitté.
Reçois-moi
sur ta croix,
avant de me recevoir
dans tes bras,

sur le seuil de ta grande maison.
Ne me laisse pas
pour que je ne te laisse pas.
Je suis au dernier tournant
de la route qui me conduit à toi.
Marche avec moi,
tends-moi la main.

Je t'aime
et je t'aimerai toujours.

Amen.

«Est-ce que je vais mourir?»

Comme une biche soupire
après l'eau du ruisseau,
ainsi mon âme soupire
après toi, mon Dieu.
Psaume 42, 2

Seigneur,
depuis plusieurs jours,
j'étais branché à toutes sortes d'appareils
qui me maintenaient en vie.
Je n'étais pas dupe:
je savais bien
que j'avais atteint le point de non-retour.

Aussi, quand ma belle grande fille
est venue me voir,
je lui ai demandé clairement :
«Est-ce que je vais mourir?»
Elle a pris ma main dans la sienne,
m'a regardé tendrement,
et a pris du temps avant de me répondre.
Finalement, elle m'a dit tout doucement:
«Oui, papa, tu vas aller voir le bon Dieu bientôt.»
Je lui ai dit:
«Il n'y a pas moyen de faire autrement?»
Elle m'a dit:
«Non, papa,
les médecins ont fait tout ce qu'ils pouvaient,
la science a des limites.»

J'ai pris un bon dix minutes
à «digérer» cette parole de ma fille
qui me tenait toujours la main
et me regardait avec beaucoup d'amour.
Puis je lui ai dit:
«Si on disait un Notre Père ensemble!»
Et, tranquillement, nous t'avons prié.
À partir de ce moment,
la paix est entrée dans mon cœur.
Je n'ai plus peur de quitter ce monde.
Au fond, à bien y penser,
je rentre chez toi,
je m'en vais dans ta maison.
Je suis sûr que tu es déjà dehors,
sur ton perron,
pour m'attendre,
que tu regardes au loin
et que tu as déjà préparé un couvert
pour fêter avec moi.

Mes affaires sont en ordre.
Mes adieux sont faits.
Mon âme est tranquille.

Ne tarde pas trop.
Je veux te voir face à face,
te donner la main,
te serrer contre moi,
toi qui m'as donné toute une vie
pour aller à ta rencontre.

Amen.

J'ai le goût de toi

Mon âme a soif
du Dieu vivant.
Quand le verrai-je
face à face?
Psaume 42, 3

Seigneur,
depuis des mois, je me traîne.
Je dois prendre des médicaments coûteux
pour m'empêcher de trembler
et de tomber en marchant,
d'autres aussi pour dormir un peu,
d'autres encore pour digérer,
pour respirer, pour pomper mon sang...
Je suis une vraie pharmacie vivante.
Si au moins je me sentais mieux!
Malgré tous ces remèdes,
je ne me sens pas bien.
Bien pire,
je m'aperçois que je baisse un peu plus,
de jour en jour.

Te le dirais-je?
Il m'arrive de penser
que tu nous organises
de façon à ce qu'on finisse
par avoir hâte d'aller te voir!
Comme si c'était toi

qui étais l'auteur du mal qui nous arrive!
Les microbes, le vieillissement,
l'usure, les coups de la vie,
je le sais bien,
sont les premiers responsables
de toutes nos maladies.

C'est vrai pourtant:
à mesure que je vois ma santé diminuer,
je sens monter en moi
le désir de toi.
J'ai de plus en plus le goût de toi,
l'envie de te rencontrer,
le besoin de te voir en face.

Bien sûr,
il me coûte de quitter
ces personnes qui ont fait
un bout de chemin avec moi,
que j'aime et qui m'aiment.
Et j'ai mal au cœur
rien qu'à penser
qu'il faudra bien un jour nous séparer.
Mais tu m'attires
comme la lune attire la mer,
comme l'aimant attire le fer.
De plus en plus,
ta force d'attraction s'exerce sur moi.
J'ai faim de toi.
Ne me laisse pas sur mon appétit.
Viens me prendre avec toi.

Amen.

Je pars dans la joie

Je veux demeurer
dans ta maison
pour toujours.
Psaume 61, 5

Seigneur,
tu le sais,
j'ai toujours été un bon vivant.
La vie a toujours été pour moi une grande amie,
ensemble, nous avons formé un beau couple.
Maintenant que je sais
que je vais mourir bientôt,
je ne lui fausserai pas compagnie pour autant.

Toute ma vie,
j'ai été entouré d'amour:
ma femme, mes enfants, mes petits-enfants.
Et ça continue.
Tous les jours, ils me téléphonent
ou viennent me voir.
Et ils me disent avec un sourire plein les yeux:
«Mon amour, je t'aime.
Papa, nous t'aimons.
Grand-papa, nous t'aimons bien fort!»
Et moi, je leur réponds avec autant de joie:
«Moi aussi, je vous aime tous...»
Quoi demander de plus?

J'emmagasine de l'amour à la tonne
pour traverser les grandes portes de ton ciel.
Cet amour me rend léger...
comme un ballon qui monte vers toi
aspiré par le haut.
Je pars le cœur heureux.
Et je ne veux pas
que les miens soient tristes.
D'ailleurs, je le leur ai dit:
nous ne nous quittons pas vraiment,
nous resterons ensemble,
mais autrement,
c'est tout.

Tu m'as donné rendez-vous,
je ne veux pas te manquer.
On dit que tu es l'amour en personne,
que tu n'es qu'amour,
que, si tu arrêtais d'aimer un seul instant,
tu n'existerais plus du tout.
Je sais que tu m'aimes comme je suis
et que ton amour achève de m'embellir
pour le grand voyage.
Pour ce qui est de mon amour pour toi,
il t'est acquis depuis longtemps.

Viens!
Nous sommes faits l'un pour l'autre.
Je suis prêt.
J'ai hâte de te prendre dans mes bras!

Amen.

En attendant

J'ai soif de toi, mon Dieu.
Psaume 63, 2

Te rencontrer, toi, qui déjà viens à ma rencontre!
Te remettre mes misères,
à toi qui les as déjà toutes assumées!
Te donner mes péchés,
à toi qui les as pris sur la croix!
Te confier mon corps blessé,
toi qui peux le transformer!
Te rejoindre au-delà de ma mort,
toi qui l'as déjà vaincue!

Voilà ce que je désire
de tout mon cœur!
Que ma foi soit espérance!
Viens, Seigneur,
je t'attends!

Table des matières

• Cap-Saint-Ignace
• Sainte-Marie (Beauce)
Québec, Canada
1996